BETWEEN THE PLAGUES

Argraffiad cyntaf: 2021

ⓗ testun: Siôn Aled
ⓗ lluniau: Iwan Bala

Rhif Llyfr Safonol Rhyngwladol:
978-1-84527-811-3

Llun Clawr: Iwan Bala
Cynllun clawr: Olwen Fowler

Cyhoeddwyd gan Wasg Carreg Gwalch,
12 Iard yr Orsaf, Llanrwst, Dyffryn Conwy, Cymru LL26 0EH
☎ 01492 642031
e-bost: llyfrau@carreg-gwalch.cymru
lle ar y we: www.carreg-gwalch.cymru

Rhwng Pla a Phla

Between the Plagues

Testun / *Text*: Siôn Aled

Lluniau / *Paintings*: Iwan Bala

Er Cof am ein ffrind Iwan Llwyd,
a welodd gynghanedd celf a cherdd.

*In Memory of our friend Iwan Llwyd,
who recognised how word and image weave together.*

Cyflwyniadau

Mae'r cerddi cyntaf yn y gyfrol hon yn dyddio o wanwyn 2018 ac mae'r barddoni'n parhau drwy 2019, cyfnod cythryblus rhwng croeswyntoedd sylweddoli fwyfwy oblygiadau alaethus Brexit o un cyfeiriad, ac o'r llall, y gobaith ingol y gellid, wedi'r cyfan, osgoi'r twll du hwnnw – cyfnod y gorymdeithio, yma yng Nghymru, ac, wrth gwrs, y protestiadau enfawr, a hwyliog herfeiddiol, yn Llundain. Yna, gyda chyhoeddi canlyniadau Etholiad Cyffredinol Rhagfyr 2019, daeth diwedd ar y gobaith hwnnw, ac wrth i lawer ohonom geisio straffaglu i ailafael mewn pethau ar ôl hynny, dyma COVID-19, y Pla arall, ynghyd ag ymateb di-glem a diegwyddor Llywodraeth Prydain i'r aflwydd, yn bygwth ein llorio – ein llorio a ninnau eisoes ar ein gliniau. Daw'r casgliad i ben â gwaith o ddechrau haf 2021. Adeg yw honno pan mae'r pandemig yn esgor ar olygfeydd canoloesol o farwolaeth a galar mewn rhannau o'r byd, gydag ymddangosiad amrywiolion newydd o'r feirws yn codi amheuon ynghylch effeithiolrwydd y brechlynnau yn eu herbyn. Adeg yw hi hefyd pan mae canlyniadau'r naill Bla a'r llall ar gyfer dyfodol Cymru a gweddill cenhedloedd Ynysoedd Prydain yn parhau'n hynod ansicr, a gobaith ac ofn fel dwy ddraig yn ymladd.

Mae'r cerddi yn y gyfrol yn adlewyrchu f'ymateb innau fel bardd yng nghanol y stormydd hynny, a cherddi ydynt, lawer iawn ohonynt, a fwriedid i'w rhannu â chynulleidfa eang ac i ysbrydoli, herio, cysuro ac aflonyddu ar y darllenwyr hynny. Ceir yma hefyd gerddi mwy personol eu naws, am garu a cholli, am hyder a hiraeth. Felly'n ogystal ag ymateb i droi a throsi'r cyd-destun gwleidyddol a chymdeithasol, mae yma hefyd gipolwg ar bethau eraill bywyd, a marwolaeth, a oedd, o reidrwydd, yn mynnu parhau drwy'r holl anrhefn. O 'mhrofiad innau hefyd, roedd yr ing, y dicter, a'r gobaith styfnig a godai ynof mewn ymateb i'r Plâu yn aml yn cydblethu â'r emosiynau cyfatebol a brofwn yn sgil digwyddiadau eraill yn fy mywyd yng nghyfnod y cyfansoddi. Ac fe geir, fel sy'n angenrheidiol os am gadw'n gall mewn cyfnod gofidus, ambell lygedyn o ysgafnder hefyd.

A rhaid nodi bod o leiaf ddau bla arall, gyda chysylltiad sylweddol rhyngddynt, yn gefndir i'r farddoniaeth, sef teyrnasiad Mr Trump ac adladd peryglus hwnnw yn dilyn ei ymadawiad anfoddog, a'r Pla eithaf, yn nhermau ei effeithiau, na allwn bellach osgoi llawer ohonynt, sef newid hinsawdd. Ond y ddau Bla a oedd

Introductions

The first poems in this collection date from the spring of 2018 and the poetry continues through 2019, a turbulent period trapped between the cross-currents of, on the one hand, an increasing realisation of the horrific implications of the Brexit tragedy, and on the other, an agonising hope that the black hole could after all be avoided – the days of the marches, here in Wales and, of course, the huge protests of revolutionary optimism in London. And then, as the results of the December 2019 UK General Election became all too clear, that hope was dashed, and as many of us struggled to gain our footing again in its aftermath, we were hit by COVID-19, the second Plague, eliciting a predictably inept and unethical response by the UK Government, to floor us again while we were already on our knees. The collection ends with work from the early summer of 2021, a time when the pandemic is producing scenes of medieval horror of death and loss in many parts of the world, with the appearance of new variants of the virus threatening to blunt the efficacy of the vaccination effort. It is a time also when the outcome of both Plagues remains extremely uncertain for the future of Wales and the other nations of the British Isles and when hope and fear seem like two dragons battling it out.

The poems reflect my response as a poet caught in these storms, and many of them were poems meant to be shared with as wide an audience as possible to inspire, to challenge, to encourage and to disturb those readers. Also included are works of a more personal nature, on love and loss, desire and despair. So as well as recording my response to the twists and turns of the political and social environment, there are also here glimpses of the other realities of life, the happenings that kept happening, as they always do, throughout the surrounding chaos. It was my experience as well that the anguish, the anger and the stubborn hope that arose in me in response to the Plagues would often interweave with the corresponding emotions I was experiencing in the wake of other events in my life at the time I was writing. And there are, as always if one is to retain one's sanity in a time of tribulation, a few lighter moments to be found as well.

Although, as the Welsh title suggests, it was two Plagues that were foremost in our minds during the production of this book, two others also loom darkly over the poetry, namely the not

ar drothwy'r drws, fel petai, fu'r ysgogiad uniongyrchol i'r rhan fwyaf o'r cerddi a'r darluniau a welir yma.

Yn ystod yr un cyfnod ag y bûm innau'n ysgrifennu, bu fy nghyfaill yr arlunydd Iwan Bala hefyd yn ymateb drwy ei gelf yntau, gan yn aml gyfuno geiriau a golygfa mewn darluniau'n adlewyrchu penbleth, gofid, dicter - a gobaith cyndyn. Wrth gynnwys nifer o'r gweithiau hynny yn y gyfrol, nid ydym wedi ceisio 'priodi' llun â cherdd neu gerddi penodol, heblaw, wrth gwrs, pan fo lluniau'n cynnwys rhai o'm geiriau innau ac yn ymateb iddynt. Y bwriad, yn hytrach, oedd creu plethwaith o'r modd y bu un bardd ac un arlunydd, mewn llên a llun, yn gwneud eu gorau glas i wneud sens o gyfnod pan deimlem mor aml ein bod yn rhan o ryw ddrama abswrd rhwng pla a phla.

Gymaint fu cyflymder y newidiadau a ddigwyddodd yn y cyfnod eitha' byr mae'r gyfrol hon yn ei gwmpasu, roedd yn anorfod y byddai cyfeiriadau mewn rhai cerddi wedi mynd yn niwlog erbyn cyhoeddi'r gyfrol. Yn hytrach na chynnwys nodiadau (neu'n waeth fyth, mewn cyfrol fel hon, droednodiadau!) ar gerddi unigol, dewisais ychwanegu darnau o naratif wrth ddilyn y cerddi drwy drefn amser. Felly mae'r cerddi a'r lluniau'n ffurfio math o ddyddlyfr yn cofnodi cyfnod arbennig o gythryblus yn ein hanes, ac yn adrodd stori, a gobeithiwn y bydd y darllenydd yn gallu dilyn y stori honno heb ormod o drafferth.

Cyfrol ddwyieithog yw hon, wrth gwrs, ond nid cyfrol lle mae pob dim yn ymddangos yn y ddwy iaith. Ceir nifer o barau o gerddi yn y Gymraeg a'r Saesneg sy'n cyfieithu, neu'n efelychu, y naill y llall – weithiau fe gyfansoddwyd y gerdd wreiddiol yn Gymraeg, weithiau yn Saesneg. Ceir ambell gerdd (gan gynnwys dau englyn!) yn Saesneg yn unig. Mae cymysgedd ieithyddol tebyg yn achos y testunau yn y lluniau. Ond mae nifer o gerddi, englynion yn arbennig, nad oes fersiynau Saesneg ar eu cyfer, a hynny oherwydd ei bod yn agos at fod yn amhosibl, yn fy marn i, cyfleu cydblethiad y gynghanedd a'r neges mewn cyfieithiad, er i mi adleisio rhai englynion mewn barddoniaeth rydd Saesneg. Yn achos yr englynion nas cyfieithwyd, fy ngobaith fyddai y gall siaradwyr Cymraeg gyfleu sain ac ystyr y rheini ar lafar i'r darllenwyr di-Gymraeg, gan mai dyna'r ffordd orau, mi gredaf, o roi blas ar wefr y gynghanedd i rai sy'n newydd iddi. Yn wir, byddwn yn annog darllen y cerddi, ym mha bynnag iaith, yn uchel, mewn cwmni, pan fydd hi'n bosibl eto i ni gymdeithasu'n ddilyffethair felly, gan mai dyna fyddai'n adlewyrchu

8

unconnected scourges of Donald Trump's reign, with its threatening aftermath following his enforced departure, and the ultimate Plague, in terms of its by now obvious and unavoidable effects, climate change. But it was the two Plagues of Brexit and COVID-19 which directly inspired, if that isn't too positive a word, most of the poems and pictures found here.

During the same period as I was responding in verse, my friend the artist Iwan Bala was also responding through his own art, often combining words and artwork in paintings reflecting his own perplexity, anguish, anger - and obstinate hope. In including a number of those works in the volume, we have not attempted to pair each painting with a particular poem or poems, except in the case of those which include my words and respond to them. Rather, the intention was to create a rolling tapestry reflecting the ways in which one poet and one artist, in writing and drawing, were striving against the odds to make sense of a time when it seemed that we were witnesses to some absurd piece of theatre between the plagues.

So rapidly were matters changing and shifting during the comparatively short period covered by this volume that it was inevitable that the references in some poems would have become somewhat obscure by the time of publication. Rather than include notes (or worse still, in a volume of this kind, footnotes!) on individual poems, I have chosen to add some narrative comments while journeying with the poems through time. The poems and pictures therefore form a kind of journal recording a particularly turbulent time in our lives, telling a story which I very much hope the reader will be able to follow without too much difficulty.

This is, of course, a bilingual collection, but not in the sense that everything is reproduced in both languages. There are several pairs of poems which are translations or adaptations one of the other – sometimes the Welsh version came first, other times the English. Some poems are found in English only. There is a similar linguistic mix in the case of the texts in the paintings. But there are a number of poems which I have left in Welsh only. Many of those are examples of the 'englyn' form – a four-line epigrammatic stanza built on the framework of 'cynghanedd', the unique Welsh combination of rhyme and patterned alliteration. I would argue that it is next to impossible to convey the true impact of this form in translation – although I have made a valiant attempt with some and

orau wreiddiau'r traddodiad barddol yn y Gymraeg a'r Saesneg fel ei gilydd.

Mae dwyieithrwydd y gyfrol yn ei hanfod, fodd bynnag, yn adlewyrchu argyhoeddiad y bardd a'r arlunydd fel ei gilydd mai adeg yw hon, uwchlaw pob un arall a brofasom yn ein hoes ninnau, i bawb sydd am weld adfer a gwarchod iechyd ein cymunedau, ein cenhedloedd a'n byd gydsefyll yn wyneb pob pla sy'n bygwth hunaniaeth, a hyd yn oed fodolaeth, yr endidau hynny. Esgeuluso'r cyfle hwnnw fyddai'r fradwriaeth eithaf.

Siôn Aled
Mehefin 2021

there are even a couple of englynion written in English in the original! What I have asked of my Welsh speaking readers is that they read the englynion to those who don't (yet!) understand Welsh, explaining their basic message and enabling the hearer, at least in sound, to experience some of the enchantment of cynghanedd. Indeed, I would encourage the reading aloud of the poems, in whatever language, in company, when it will be possible again for us to socialise without constraint, as that would be the best reflection of the root practice of both the Welsh and the English poetic traditions.

I would wish to emphasize, moreover, that the bilingual character of this volume reflects the conviction of both the poet and the artist that the present time, above any other we have experienced in our lifetimes, demands that everyone who yearns for the restoration and protection of the health of our communities, nations and world stand together against every plague which threatens their identity and even their very existence. To neglect that chance would be the ultimate betrayal.

Siôn Aled
June 2021

Rwyf wastad wedi teimlo bod gan yr arlunydd ddyletswydd i fod yn brofoclyd ac i drafod materion cymdeithasol, gwleidyddol a diwylliannol. Roedd yr ymateb i'r arddangosfa o'r 'cartwnau' Brexit ym Mhenarth yn 2017 yn profi gwerth gwaith felly i mi. Holltwyd y gynulleidfa yn ddwy garfan, y rhai a oedd yn cwyno bod y gwaith yn 'bornograffig' (er nad oedd, sgatolegol falle, ond cyhuddiad oedd hwnnw a guddiai'r wir gŵyn, sef eu bod yn anghytuno â'r safbwynt gwrth-Brexit a gwrth-Dorïaidd) ac eraill a oedd yn canmol y gwaith a'r ideoleg y tu ôl iddo.

O sôn am 'gartwnau', mae tuedd i wahaniaethu rhwng 'celfyddyd gain' a darluniau byrfyfyr dychanol. Ond mae traddodiad i gelf felly: Rowlandson, Hogarth, Hugh Hughes yng Nghymru, Scarfe a'r Cymro Ralph Steadman, ac yn y blaen. Cefais brofiad o'r math yma o gelf boblogaidd, ddychanol am wleidyddiaeth yng Ngwlad y Basg, yng Ngŵyl San Fermín yn Pamplona a hefyd yn Catalonia. Mae yn bwysig ei wneud.

Ymateb yw fy ngwaith yn y gyfrol hon yn y lle cyntaf i'r penderfyniad trychinebus i adael yr Undeb Ewropeaidd, ac i'r celwyddau a arweiniodd at hynny. Nodweddion y Pla cyntaf oedd anwybodaeth, celwyddau, a ffrwd o genedlaetholdeb cyfyng Seisnig. Daeth yr ail Bla â rhwystredigaethau newydd: yr ynysu di-ben-draw, ofn, ac unwaith eto ym Mhrydain, celwyddau'r gwleidyddion mewn grym. Doedd dim dewis gennyf ond ymateb mewn inc ar bapur.

Iwan Bala
Mehefin 2021

I've always felt that the artist has a duty to be provocative and to address social, political and cultural issues. The reaction to the exhibition of the Brexit 'cartoons' in Penarth in 2017 was proof to me of the value of such work. The audience was split down the middle, those who complained that the work was 'pornographic' (although it wasn't, scatological maybe, but the accusation was an evasion of the real complaint which was that they disagreed with the anti-Brexit, anti-Tory stance) and others who praised the work and its underlying ideology.

When we talk of 'cartoons', there's a tendency to draw a distinction between 'fine art' and short-notice satirical drawings. But there is a tradition of such art: Rowlandson, Hogarth, Hugh Hughes in Wales, Scarfe and the Welshman Ralph Steadman, among others. I experienced popular, satirical art of this kind dealing with political subjects in the Basque Country, at the San Fermín Festival in Pamplona and also in Catalonia. It's important that we do it.

The work in this book is a response in the first place to the disastrous decision to leave the European Union, and to the lies which led to that. The first Plague was marked by ignorance, falsehoods and a torrent of narrow English nationalism. The second Plague brought new frustrations: the endless isolation, fear, and once again in Britain the lies of the politicians in power. I had no choice but to respond with ink on paper.

Iwan Bala
June 2021

Fel arfer ar adeg helbulus, mae'r Wladwriaeth Brydeinig yn giamstar am geisio creu esgus am barti, y tro yma ar achlysur priodas y Tywysog Harri â Meghan Markle. Prin fu'r partïon, yn arbennig yn y Gymru Gymraeg, ond fe fu eithriadau...

An englyn commemorating one of the few street parties held in Welsh-speaking Wales on the occasion of the wedding of Prince Harry and Meghan Markle on 18 May that year. A junket for the masses, as was hoped...

Parti Stryd y Bala

O rhaid, rhaid yw dathlu priodas - ein gwell.
    A gwych eu cymwynas:
    ein Stryd Ni geith barti bas.
    O ceith. Ar draul y caethwas.

Perfidious Albion

Yr Undeb na all wrando - a'r Undeb
    ar undaith ddiwyro,
    a ninnau'n benwan heno
    a chaeth i Undeb o'i cho'.

Perfidious Albion

Deaf to all sanity,
lurching towards a destiny of oblivion.
And we're tied by chains that we're terrified of breaking
to your delirium.

Gwaddol Brexit

Difrod a darfod. Am dâl - er dandwn
    Prydeindod anwadal.
    Tir, a chyfandir, ar chwâl
    yw diwedd rhemp eich dial.

Baner yr Undeb

Baner dathlu'r Gymru gaeth - baner rhwysg,
  baner rhemp ceidwadaeth,
  baner ddoe, ac echdoe gwaeth,
  a baner ein dibyniaeth.

In March 1977, with three colleagues from Cymdeithas yr Iaith Gymraeg, I was privileged to break into what was then the Granada transmitting station at Winter Hill in Lancashire, where we managed to blank out the TV channel for all of 30 seconds, securing a burst of publicity for the campaign for a Welsh language channel, which was eventually secured in 1982 as S4C. In 2018, Winter Hill was in the news again as one of the many grassland fires which broke out that summer devastated the moorland and its ecosystem.

Winter Hill (y tân ar drothwy'r mast darlledu)

Gwywo mae Allt y Gaeaf — ym merw
  haul marwol Gorffennaf,
  a gwaeth na'i gaeaf gwaethaf
  heno yw llid tanlli haf.

GIG 70

Rhuwch uwch fedd Torïaeth - nid arian,
  nid aur wna'r gwahaniaeth:
  i ni'i gyd ein hiechyd aeth
  yn sail i rym sosialaeth.

NHS 70

*You've reached your three score years and ten
  in spite of all your saviours,
and for your health we'll fight again,
  to safeguard rights, not favours.*

17

A dyma'r adeg y bu'r hen Deresa ar drywydd Greal Sanctaidd y Ddêl a fodlonai bawb.

Dêl Teresa

Os llwyddodd hon dawelu
dros dro yr holl ymgecru,
daw dydd, a hynny cyn bo hir,
i'r gwir ei llwyr goncweru.

As Theresa May continued to chase the mirage of the Deal to End All Deals, I chose to celebrate her efforts in the form of a 'Triban Morgannwg', which is a bit like a limerick, but which can carry both comedy and tragedy, sometimes together.

Theresa's Deal

You may have thought you'd made it,
the Deal is done – parade it,
but no, you haven't dodged the end,
my friend, but just delayed it.

Smonach

Deresa, feistres dryswch, - fe racsiwyd
dy Frecsit, a'th glyfrwch,
gan Davis a Boris y bwch.
Yn eu hôl, dos i'w 'nialwch.

Maddeuant

Fe edwir pob anfadwaith - yn ei fedd
o faddau ond unwaith:
cadwer 'rhen amser i'w waith
ac ni weli'r gwŷn eilwaith.

In July that year, I published my most recent volume, 'Meirioli'. Unfortunately, the publishers, in sending out my complimentary copies, relied on the address they had for me in 1995, which resulted in my having to chase from Cardiff to Rhyl to get them.

Disgwyl fy Nghyfrol

O'r helynt heb Feirioli! - O'r llanast
   i'r llenor, a'r poeni:
   'Lle mae fy holl weithiau i?'
Rhuaf. A'm dagrau'n rhewi.

Dyddiau Weimar

Dyddiau go ddiddim oeddynt, dweud y gwir,
   a llywodraethau'n styrio'r stŵr a'r strach,
tra gwreiddiai hadau'r gwenwyn yn y tir,
   yn treiddio dan ein traed, yn ddistaw bach.
Roedd clybiau'r cabare yn fras eu gŵyl
   yn smalio nad oedd nos. Ond ni ddaeth gwawr
i ddychryn gwylliaid trais na lladd eu hwyl
   yn diawlio ein hen hawliau. Daeth eu hawr.
A dyma ninnau, welodd rym y brad
   a rwygodd ein dynoliaeth, gâr wrth gâr,
yn gwybod am y lladd-dai a'r glanhad
   ar genedl a hil a phopeth gwâr.
Yn meddwl na ddaw'r Un i'n parti ni
   a safodd yn y bwlch yn nhri deg tri.

Weimar Days

They were the days that passed unnoticed by,
   in muttering discontent and search for soul,
while seeds of venom found their earth to lie,
   to wait, unnoticed, for their birthing call.
The cabarets still burned their garish flame
   dissenting night. Until no dawn returned
to down the vampires or to call their game
   dementing aged freedoms. Times had turned.

And here are we, who smelled the power of hate
  devouring humane-ness, bit by bit,
viewing from screen to screen, as if by fate,
  the shovelling of just-ness into shit.
Thinking that we can keep our nations free
  from Him who stole the show in Thirty Three.

Petha

Petha sy'n fawr ddim byd:
golchi llestri,
bwydo cathod peth cynta,
llusgo rhyw sach o'r stryd,
swpar o'r Silver Lake,
ddim gormod,
gwylio'r Chase,
chwyrnu,
gormodadd o wiwerod,
methu gorffan englyn yn gall,
panad ganol bora,
rhy hwyr i ddal y llythyr cyn y cŵn,
cath ar goll,
eto,
cerddad i Port,
haul ola'r dydd ym mhen draw'r ardd,
gajets,
tatws o rwla,
pryfaid clustiog,
prin,
cerddad nôl o lle bynnag,
chwerthin,
gwenu,
pwdu.
Petha sy fawr ddim byd.
Tra byddont.

Things

Things that don't mean much:
washing dishes,
feeding the cats first thing,
clearing some blown bag from the street,
supper from the Silver Lake,
not too much,
watching The Chase,
snoring,
a surfeit of squirrels,
finding the rhymes don't work,
coffee at half-morning,
the dogs getting to the letters first,
cat missing,
again,
walking to Port,
the last of the sun at the end of the garden,
gadgets,
spuds from somewhere,
earwigs,
not many,
walking back from somewhere,
laughing,
smiling,
sulking.
Things that don't mean much.
While they're there.

Boris

Hawdd, mor hawdd cynhyrfu'r haid – ac ofnau
    rhyw gefnog anwariaid:
   hyll yw hwyl lladmerydd llaid,
   yr hwyl a gwyd gythreuliaid.

Ym mis Hydref 2018, daeth cyfnod Arriva yn rhedeg y rhan fwyaf o wasanaethau trenau teithwyr Cymru i ben. Yr oeddwn innau, o leiaf, am gofio'n deg amdanynt.

In October 2018, Arriva's franchise running most of the passenger trains in Wales came to an end. I, at least, felt like offering a eulogy.

Ffarwél i Drenau Arriva Cymru

Arriva, er arafwch - eich trenau,
  gwna'i'ch trin â thynerwch:
  criw Blair fu'n creu y blerwch
  a lle rhwng y cledrau i'ch llwch.

Another plague, and one that appears annually, is that of the Red Poppy, and, like Christmas, it seems to present itself earlier each year. And every year, the same refrain is heard that it has nothing to do with glorifying war. And every year, it does.

Pam na wisgaf y pabi coch

Listia'i 'run blodyn o blaid – y felin
  rhyfela, na choflaid
  ffug alar yr anwariaid
  uwch darnau'n llanciau'n y llaid.

Why I will not wear your poppy

No, I won't be enlisted,
like everyone who faces to camera,
to wear Hague's insignia
rooted in the rotting bodies
of heroes volunteered
to feed the felony of war.

Jarman yng Nghasnewydd

I'r iaith daeth diwedd, meddent - a hen dwyll
   yw'n diwylliant, dwedent.
   Gwelwi wnâi'r rhain pe gwelent
   fela dygyn gwenyn Gwent.

'Plant mewn Angen' y BBC

Hen wagedd llawn enwogion - yn 'stumio
   becso dam am dlodion,
   a bri 'rhen Budsey'n y bôn
   yw'n cneifio er lles cnafon.

Y Pabi Gwyn

Pabi i gofio pobol - o bob lle
   y bu lladd, heb ganmol
   helwriaeth crach milwrol:
   heddiw'n well, nid ddoe yn ôl.

Clymblaid Brexit

Sut blaid, pa siort o wleidydd - wnâi chwennych
   trychineb i'w gwledydd
   yn nod diamod y dydd?
   Rhain. Nôl eu dau arweinydd.

Y Ddêl

Am ddêl ddi-ffael, a'i chael mor chwim - y ddêl
   a ddaeth, fallai'n orchwim,
   er undod uwchlaw'r undim:
   am ddêl dda. Am ddiawl o ddim.

Map y Tiwb

Petawn i dipyn bach mwy Prydeinllyd,
gallwn dy ddewis
yn eicon Ynys y Cedyrn.
Yn gwneud y cam yn union,
yn cuddio'r crwydriadau,
a chylchu pob cyswllt yn dwt.
Deallais di'n blentyn,
a gwneud fy rhieni'n falch
wrth ddehongli dy ddirgelion
i Fericianwyr ffwndrus.
Ac eto ti yw 'nghanllaw heddiw,
a'r blynyddoedd heb heneiddio
dy steil diflino.
Finnau bellach sy'n colli fy ffordd,
a'th Brydain dithau hefyd,
rywle rhwng y llinellau.

Tube Map

If I were a tiny bit more British,
I could choose you
as an icon of this Sceptred Isle.
Making the crooked straight,
hiding the meanderings,
and circling each connection.
Tidy.
I cracked you as a child,
and prouded my parents
as I divined your secrets
for bewildered Americans.
And you remain my guide,
your stylised cartography
mellowed with age.
But today, I'm the one who's lost,
and your Britain too,
somewhere between the lines.

Magnificat

Bob nos Sul yn 'rEglws, stalwm,
roeddan ni, fy Nhad a fi, yn canu:
Efe a dynnodd i lawr y cedyrn o'u heisteddfâu
ac a ddyrchafodd y rhai isel radd.
Efe a lanwodd y rhai newynog â phethau da
ac a anfonodd ymaith y rhai goludog mewn eisiau.
Ac wedyn wnes i ddysgu
nad sôn odd hyn am bobol, a bwyd, a phetha, a golud, a dim,
ma symbola oeddan nhw, petha ysbrydol, braf.
Myn diawl rhaid bod Duw yn dwp.

Magnificat

Every Sunday night, back in the day,
in Church,
there we would be, my Dad and I, chanting:
He hath put down the mighty from their seats,
and exalted them of low degree.
He hath filled the hungry with good things
and the rich he hath sent empty away.
(Well, in William Morgan's words, more starkly.)
And then I learned
that this wasn't about people, and sustenance, and things,
and capital, and nowt,
that they were just symbols, spiritual things, nice.
God, you must be thick.

Y drefn

Rhyw adfail yw'r Undeb ddrudfawr - yn wan,
    yn unig, fu'n fostfawr.
   Darfod wna ei hundod nawr:
   darfod - er dathlu dirfawr!

21/12/18

Dydd diawen. Y dydd duaf. – Dydd gwelw.
   Dydd gwaelod y gaeaf.
   Dydd pen trai. A'r smic lleiaf
   o droi'r rhod at odre'r haf.

Winter Solstice

Darkest, dankest day. The ashen day.
Winter's trench.
The furthest draw of daylight's tide.
Sleighting to turn.

Alexander Boris de Pfeffel Johnson.

Boris a'i bals
O giwed felltigedig —
eu gwerthoedd sydd ond
gwarth trybeilig,
heb ddaniau ond doniau dig — na nod
ond byd rhanedig. Siôn Aled.

28

Fel petai i gyd-fynd â throad y rhod, gwawriodd 2019 gyda rhyw smic pryfoclyd o obaith wrth i fecanwaith Brexit rygnu ymlaen, heb symud 'mlaen, gan beri i rai ohonom amau a fyddai byth yn cyrraedd ei nod.

As if in parallel with the turn of the seasons, 2019 began with a teasing glimmer of hope, as the cogs of the Brexit machine ground on, without moving on, allowing some of us to dare doubt that it would ever reach its destination.

Edrych ymlaen

Wele haeddiant celwyddau – a diwedd
eu di-daw gwynfanau:
uwch bedd eu gwirionedd gau
daw gwawr. A daw'r wawr orau.

Crwydro

Dyma fi.
Noson Gŵyl Ddwynwen
ar drên.
Nghariad cynta', mynnai Dad.
Ond nid yr ola'.
Ella.

Wanderings

Here I am.
As Gŵyl Ddwynwen,
the Welsh Saint Valentine, only more real,
closes
on a train.
My first love, Dad used to say.
But not the last.
Maybe.

Y Bregsitiwr Goludog

Hawdd cenaist glodydd cyni – i nerthu
    hen werthoedd dy Blighty
  ar dôn hwylustod tlodi.
  O do, tad. Ond nid i ti.

Platfform 5, Amwythig

Y peiriant cyhoeddiadau
yn fy nhywys yn anghelfydd
drwy blwyfi'r arfordir
a'r gorsafoedd bach
a guddiodd rhag Beeching.

Ni ches fy hudo heddiw.
Ond bu'r siant
yn cosi'r cof yn effro,
gan styrio pwt o hiraeth
am ryw yfory a fu.
A'r tybed sy'n methu mynd.

Platform 5, Shrewsbury

*The machined announcement
guides me in clumsy Welsh
through the coastal llannau
and the blink and miss them halts
that hid from Beeching.*

*I didn't yield today.
But the chant
bothered my memory awake,
just snatching a dream
of a tomorrow that was.
And the maybe that fails to fade.*

Britannia

You stole our language and yourself proclaimed
the God-appointed guardian of the seas,
and twisted what the ancient mapper named
to make you Great and other claims decease.
Your Empire grew, its veins engorged with blood
of heroes without name, without the choice,
to live beyond the trenches and the mud,
to know, above your din, a gentler voice.
And now, where dared another future gleam,
you strive to grasp again your putrid past,
and draw us with you in that drossen dream
of glories that half were, and could not last.
Your tarnished days are done. A daeth yr awr
i fynnu atgyfodi Prydain Fawr.

Amser

Ar hen gloc stesion
mae'n bosib gweld y bys mawr yn symud
a dal rhen gena amser wrth ei waith.
Ac rwy'n teimlo fel voyeur
yn mwynhau fy angau fy hun.

Time

On one of those old railway station clocks
you can see the big hand move
and witness time's sneak thieving.
And I feel I've been a peeping tom
at my own funeral.

Cariad

Weithiau mae dêl bywyd
yn anodd, anodd ei gwneud.
Ond yna, mae'r hen ddyn ma'n gweld
yr ateb a fu'n gwenu'r gwir.
Ac mae rhaid.

Love

Sometimes the deal of life
is hard, hard to do.
And then, this old guy sees
the answer that's been smiling truth.
And it must be.

Tafarn

Tresmasu
ar fy nhaith,
drwy gartref rhyw griw brwd
yn gwylio gêm,
a smalio malio.
Fel troi i Susnag,
ryw sgwrs bell bell yn ôl
o flaen pobol ddiarth
i fod yn boléit.
Ond â'm llygaid
yn sleifio at y ffôn
yn disgwyl am neges
a ddaw
neu ddim.

Pub

Trespassing
on my way
through a home crowd
committed to their match.
And I pretended to care.
Like turning to English
in far lost conversations
to assure the others
that we Welsh were polite.
Yet my eyes played truant
to the phone
seeking the message
that will come
or not.

Adflas

Ar ôl i'r sgwrs gysgu
am bethau digon diddan a diddim bod,
fe sylweddoli, wedi'r dweud,
fod yno'n llechu
rhwng y ffonemau
fel cath yn y crawcwellt
y cariad
na faidd eto, eto,
ddyfalu ei fod.

Afterthought

When the chat drops off
of the trivial treasures of life,
you know
that slithing between the syllables
like a cat
hunt-hidden in the grass
is the love
that dare not, yet, again,
name its being.

Weithiau

Weithiau,
weithiau'n brin iawn, iawn,
mi feiddi feddwl y byd o rywun.
Ac wedi'r gwahanu
daw ymbalfalu am fyd.

Sometimes

Sometimes,
some very seldom times,
you venture to think the world of someone.
And when that someone's gone
you feel around for a world.

Ble mae Daniel?

Er gweld gwobrau'n glau o glod - rhai â grym,
    a throi gras yn sorod,
  er y budd o hanner bod
  yn llywaeth. Gwell ffau'r llewod.

Britannia Derelicta

Bregus yw ynys unig
sy'n gaeth i wleidyddiaeth dig.

*An Extinction Rebellion protest was taking place in Cardiff at the
time of the summer graduation ceremonies at Cardiff University. I
heard one student ask her father, in an obviously surprised tone,
why he had visited the main protest site. 'I wanted to see what they
looked like' was his reply.*

Rebals

Rôn i isio gweld sut betha oeddan nhw.
Dan ni'n edrach fel
plant
hen bobol
rwla yn y canol
moel
blewog
blewog iawn
du
gwyn
lliwia erill
benyw
gwryw
deuaidd
nid
Cymry
Welsh
Saeson
Nigeraidd

veji
figan
hoyw
strêt
ish
lot o ishys
Ond os gwnawn ni ddim byd
fyddwn ni'n edrach fel dim byd.
Gobeithio i ti weld beth oeddat ti angan ei weld.

I wanted to see what they looked like

We look like
children
oldies
sort of middling
bald
hairy
very hairy
black
white
other shades
female
male
binary
not
Cymry
Welsh
English
Nigerian
veggie
vegan
gay
straight
ish
a lot of ishes
But if we do nothing
we'll look like nothing.
I hope you saw what you needed to see.

Boris

Er ei lanast a'i gastiau - a'i brofi
    yn brifardd celwyddau,
ofnwn, tu hwnt i'n hofnau,
    y gwir dan y giamocs gau.

Ta ta UK

Yr Undeb na all wrando - ar wledydd
    erlidiodd yn deffro,
na dychryn wrth ddihuno
    tiroedd caeth. Ond rhydd eu co'.

Railways were, indeed, my first love, and so it pains me particularly that the Conwy Valley Line, between Llandudno and Blaenau Ffestiniog, has suffered so much from the more frequent flooding resulting directly from global warming. It is a line, and particularly the light at the end of its long tunnel, that has a special place in my heart and to which I dedicate my (somewhat) tongue-in-cheek verses.

Molawd Lein Dyffryn Conwy

Fe fûm, ers llawer blwyddyn,
    yn amal ar y daith
a chariad fu fy ngolau
    'mhendraw y twnnel maith.

A diolch rwyf bob siwrnai
    bod yno lein yt ôl
rôl triniaeth Doctor Beeching
    dros hanner canrif nôl.

Pan hogodd hwnnw'i fwyell
    doedd nunlle'n saff, gwir yw,
blaw'r rheilffordd i East Grinstead
    lle roedd y diawl yn byw.

Ac roedd Rheilffordd Dyffryn Conwy
    yn amlwg yn ei drem
i brofi dedfryd iasol
    ei fwyell finiog, lem.

Ond deubeth a'i hachubodd:
   sef gwneud y siwrnai'n haws
i'r gwastraff poeth, gwenwynig
   gachai atomfa'r Traws.

A'r eilbeth oedd y twnnel:
   yr unig ffordd, yn wir,
a'r eira ar Orddinan
   drwy aml aeaf hir.

Wel, prinnach ydy'r eira,
   ond amlach ydy'r glaw,
a'r oerfel a'i hachubodd
   anaml iawn y daw.

Pe gwyddai Doctor Beeching
   am Climate Change, myn diawch,
trawiasai efo'i fwyell
   â llawer mwy o awch!

Ond, diolch fyth, nid proffwyd
   oedd dyn y fwyell gas
a Rheilffordd Dyffryn Conwy
   fu'n wrthrych prin ei ras.

Nes daeth y glaw a'r ddrycin
   fel tae i wneud y gwaith
o ddryllio'r trac yn chwilfriw -
   rhoi diwedd ar bob taith.

A dyna ein dyfodol:
   y fwyell drawa'n byd
â dinistr a darfod
   a'n rhacsia oll i gyd.

Os methwn barchu'n daear
   daw diwedd ar bob gwlad,
pob iaith a phob diwylliant,
   pob hyder, pob parhad.

Mae Rheilffordd Dyffryn Conwy
   yn rhybudd, ac yn her,
i gallio, a gweithredu,
   â'n siawns yn hynod fer.

Fel caf, sawl blwyddyn eto,
   freuddwydio ar y daith
am gariad, ddeil yn olau,
   'mhendraw y twnnel maith.

In Praise of Lein Dyffryn Conwy

I've journeyed through the years
*   this track, from shore to slate,*
and love, like light, pinpointing
*   the tunnel's northern gate.*

And every time I'm thankful
*   I still can take the train,*
surviving the prescription
*   of Beeching's cuts and pain.*

When he his axe did sharpen
*   no route his gaze avoided,*
except towards East Grinstead:
*   where Doctor B resided.*

And Dyffryn Conwy's railway
*   was clearly on his list*
to bear the data's sentence,
*   no branch line could resist.*

But two things were to save us:
*   the line was there to drain*
Trawsfynydd's nuclear venom
*   to Sellafield by train.*

And then there was that tunnel,
*   which proved the only way*
to Blaenau 'neath the snowdrifts
*   when winter came to stay.*

Today the snows are seldom,
    and oftener comes the rain,
so now the threat of winter
    could never save the train.

If dear old Doctor Beeching
    had foreseen Climate Change
it may have lent his axework
    an even greater range!

But thankfully the axeman
    had no prophetic sight
and Rheilffordd Dyffryn Conwy
    escaped his chopper's blight.

Till came the winds and flooding
    his malice to complete,
and that same global warming
    our railway could delete.

And there we see what future
    now stares us in the face:
a climate Armageddon
    to axe the human race.

Unless we curb our folly
    we'll use our world to death:
all languages and cultures,
    all creatures, every breath.

The line through Dyffryn Conwy
    foreshadows future grief,
without intensive action -
    our chance for change is brief.

I dare to hope my journeys
    continue, as I dream
that love, beyond the darkness,
    at tunnel's end may gleam.

Brexit. Aballu.

Dwi wedi blino.
Ar y trio a'r dadlau,
y meddwl bod newid ar droed,
bod y rhod yn troi,
bod y difaru wedi'r gwamalu gwirion
wedi taro'r nod
a'r celwyddau ar fin eu claddu.
Ond tywyll heno,
a distaw.
Dwi wedi blino gobeithio.
Ond ella
erbyn fory
mi fydda i 'di blino ar hynny hefyd.

Brexit. Etc.

I'm tired.
Of the trying and the talk,
of thinking that things could change,
in the churn of time,
that the remorse was enough
to turn the tide
and lay waste the lies.
But tonight is dark
and silent.
I'm tired of hoping.
But maybe
come tomorrow
I may have tired of that as well.

Tyddewi

Dewch yma.
Ac fe gewch
adlais hen offerennau,
fudandod beddau ffeiriadon angof,
siffrwd tudalennau ar drywydd hen straeon,
weddïau heddiw yn beiddio yfory gwell.
A chyffro tangnefedd.

Tyddewi

Come to this place.
And listen
for the echoes of ancient liturgies,
the silence of the tombs of nameless priests,
the rustling of pages
turned in pursuit of old tales,
today's prayers daring a better tomorrow.
And the thrill of peace.

Mewn coedwig yn yr Alban yr oeddwn, ar y diwrnod y penderfynodd y Goruchaf Lys i Lywodraeth y Deyrnas Unedig weithredu'n anghyfreithlon ddiwedd Awst 2019 wrth addoedi Senedd San Steffan mewn ymgais i orfodi Brexit yn erbyn ei hewyllys.

I was in a forest in Scotland on the day the Supreme Court ruled
that the United Kingdom Government had acted unlawfully at the
end of August 2019 in proroguing the Westminster Parliament in
an attempt to impose Brexit against its will.

Dydd y Farn

A minnau
mewn coedwig laith
y tu hwnt i'r dwristaidd dorf
mi welaf i unarddeg o'm hil
ddyfarnu
Llywodraeth yn aflywodraethus.
Da iawn
meddaf.
A'r gwiwerod
yn fy niddanu'n ddiarwybod.
Gwenaf.
Er y gwn yn iawn
i ni ddifetha popeth
heb hawl yn y byd.

Day of Judgement

I dawdle
in a forest of rain
beyond the teeming tourists.
I'm one but I don't identify.
And I see
that eleven of my species
have declared
the lawful Leader a liar.
Good
I say.
And the squirrels
unknowing
entertain me.
I smile.
Yet knowing
that we destroy everything
as of right.

Cyfieithydd Llys

Ar ddiwedd y treial
taclusaf
wrth i glercod a merchaid llnau
newyddu'r lle
fel stafell gwesty i ddisgwyl y lletywr nesa.
A meddyliaf
am y diffynnydd
a suddodd bellach dan y doc
a adwaenwn ond wrth ei drosedd,
a ddaeth i'm 'nabod innau
ond drwy sibrwd geiriau benthyg.

Court Interpreter

After the trial
I pack things up
just as clerks and cleaners
make the room new

like a hotel room for the next guest.
And I wonder
about the defendant
now descended below the dock
whom I knew only by indictment
and who knew me
only through whispered borrowed words.

Cilydd

Yn y diwedd,
ar ôl y diwedd,
wyt, mi rwyt ti'n colli
y cariad sy'n lliwio bywyd
a phlethu dau fod
i un dyfodol.
Ond y pethau eraill hynny,
y cip cynnes ar ganol bore prysur,
y pam ddim hyn, ond hwn'na,
y pethau heb feddwl pitw
sy mor huawdl ag anadlu.
Rheini, am rheini ti jest â marw
pan nad ydynt.

Together

In the end,
after the end,
yes, you miss the twining
of love at one with life
and the tangling of two beings
furrowing a future.
But it's the other things,
the glow from each busy glance,
the why not this, but that,
the unthinked measly things
that breed with the ease of breath.
Those, those you would die for
when they're gone.

Rhoi

Plant mewn angen? Angen o hyd - brofant
   heb rywfodd droi'n golud
  o elusen yr ennyd
  i dreth y gofalu drud.

Y Clawdd, rôl blwyddyn

Cerdded,
cerdded oeddem
yn agos
agos at derfyn
heb wybod lle roedd o wir.
Nes ei groesi.
A dyna ni.
Ac ar drothwy Rhagfyr drachefn
agos yw'r Clawdd eto
o'r ochor arall.

Offa's Dyke, a year later

We walked,
walking
close
close to a boundary
not really knowing where it was.
Till we crossed it.
And here we are.
At the turn of another December
and that frontier near again
from the other side.

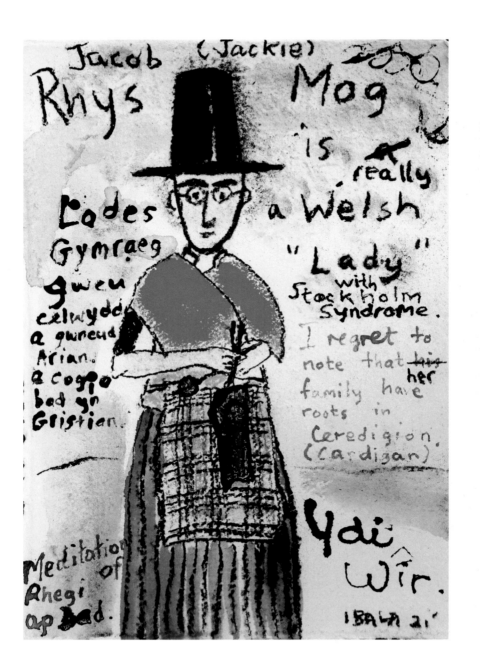

Jacob (Jackie)
Rhys Mog "is" really a Welsh "Lady" with Stockholm Syndrome.

Codes Gymraeg gweu celwydd a gwneud Arian. a coggo bod yn Gristian.

I regret to note that ~~his~~ her family have roots in Ceredigion. (Cardigan)

Meditation of Rhegi ap ~~Dad~~.

Ydi Wir.

IBALA 21

47

The decision of (enough of) the opposition parties at Westminster to submit to a General Election to be held on 12 December 2019 was, to me, the worst political tactical mistake ever made at the UK level. It ended a year when things were coming so close to taking a very different course, and ushered in a time when hope itself became rebellion.

St Lucy's Day (John Donne):

This hour her vigil and her eve, since this
Both the year's, and the day's deep midnight is.

Gŵyl Leucu

Fory ei noswyl, yna'i dygwyl fydd
yn ddyfnder nos y flwyddyn, fel y dydd.

Dewis

Pleidleisia, dewisa'n well
na'r hwrgi yn yr oergell.

Cysur

Pan oeddwn yn sâl yn blentyn
byddai cath
yn gysur gyda'i grwndi.
A heno
a'r wlad, ein gwledydd,
ar eu hynfyd hynt,
mae cath, jest cath,
yn mynnu 'nghysuro.
Diolch.

Comfort

When I was ill as a kid
a cat would purr me better.
And tonight
as my land, our countries,
tear their futures dead,
a cat, just a cat,
insists her comfort.
Thanks.

Ond

Yn y tywyllwch 'ma
mae 'na rwbath yn cuddio.
Peth swil ydy o weithia
er na ddylai fod.
Gobaith ydy ei enw fo.
A does dim lladd arno.

But

In this darkness
something is hiding.
Often shy
though why I don't know.
Its name is hope.
And it just won't die.

Rhybudd

Na fydd ry ffraeth o blaid Bregsitiaeth gul
rhag ofn mai drosot ti y cân y gnul.

2019/20

The darkness need do nothing but be there,
the dead, unthinking absence of all light,
and when the sun is safely set, despair
may rule unhindered through the pathless night.
We sought the darkness, many say, embraced
the chill of winter and divorced the spring,
made death our target, every hope displaced,
and tainted with destruction everything.
And so we stand, at dawnless year's start.
But, but there stirs resistance to the stark
hegemony of failure and defeat. Take heart
when in that night so deathly, deadly dark
there tinctures the horizon one faint ray,
the night must yield its hold. Returns the day.

Syr IDS

Y marchog fu'n amharchu - y gwannaf
    â gwen wrth eu llethu:
   llawenhau'n eu dyddiau du
   wna dydd dy anrhydeddu.

Degawd y Celtiaid

Ar Undeb drychinebus - doed diwedd,
    doed tewi'i rhwysg gwarthus;
    doed heddiw gwaradwyddus
    yn fory rhydd. Doed ar frys.

Having achieved his majority and promising to deliver an 'oven ready Brexit', Boris Johnson now appealed to us all to be 'friends'.

Ffrindiau?

Dy weniaith nid yw'n denu - a'th hoced
    ni thycia i'th gredu.
    Rhy hwyr. Nôl pob synnwyr sy
    ni grefwn: 'Dos i grafu'.

Friends?

*Having destroyed futures
and desecrated our home of all peace
you demand our friendship
on the abuser's terms.*

Safiad

Pwy ddiawch wna i obaith weithio - drwy'r holl fwg,
    drwy'r holl fygwth heno?
    Mond ni, pa drybini bo,
    byth, byth yn anobeithio.

Yn ei sêl i'n diogelu rhag pob mathau o eithafwyr (heblaw hithau a'i chriw), roedd Ysgrifennydd Cartref y DU, Priti Patel, yn bygwth dynodi'r mudiad ymgyrchu ynghylch newid hinsawdd, Gwrthryfel Difodiant, yn grŵp terfysgol. A hynny yng nghanol dinistr storm ar ôl storm ym Mhrydain, a thra llosgai coedwigoedd Awstralia.

Come on up to the house.

DYFODIAD Y
PANDEMIC

I BALA 20

Rhyw ateb bach i Priti

Wel, eto, rwy'n derfysgwr,
a finna'n lot rhy hen
i ddim ond gorymdeithio
ac ambell brotest glên.
Ond dyna ddwedodd Priti
Patel yn Llundain draw
wrth ddamnio'n protestiadau
yng nghanol gwynt a glaw
y storom ddiweddaraf
fai, 'nghyd â thanau'r De,
yn dweud wrth rywun callach
bod rhywbeth mawr o'i le.
Ond dyna ni, os galw
fi'n derorist, ôl-reit,
ni chodaf ddwrn nac arfau
ond cewch chi ddiawl o ffeit!

In her zeal to safeguard us from all kinds of extremists (except herself and her gang), the UK Home Secretary, Priti Patel, was threatening to categorise the climate change activist movement, Extinction Rebellion, as a terrorist group. And that in the midst of the devastation of storm after storm in Britain, and while the forests of Australia burned.

Priti – a rejoinder

Today I've been upgraded
to terrorist, I've found,
when all I do is marching
or sitting on the ground.
But that's the term that Priti
Patel deploys again
as she scorns our demonstrations
amidst the wind and rain
of the latest storm this winter
which would, like Australia's fires,
convince a wiser person
that something bad transpires.
But there you go, just call us
a terrorist group, alright,
we're really not that violent,
but we sure as hell can fight!

Ar dôn Anthem Ewrop:

Bloeddiwch bobol, bloeddiwch obaith,
bloeddiwch hyd y sêr eich llais,
bloeddiwch heddwch a chyfiawnder
bloeddiwch dranc teyrnasiad trais.
Ein gobeithion dry'n gelynion
yn gyfeillion, fel cawn fyw
heddiw yn gyd-ddinasyddion
Ewrop. Fory'r byd a'n clyw!

Cofiwch greithiau eich gorffennol,
grym yn sathru ar bob gwir,
cofiwch ormes, cofiwch d'wyllwch
nos pob anghyfiawnder hir.
Ond mae'n gwawrio, gwawrddydd gobaith,
derfydd nos, mae'n doriad dydd:
doed gormeswyr, doed gwatwarwyr,
ein hyfory ninnau fydd.

Ac o'r diwedd daeth y diwedd, neu ddechrau'r diwedd, neu ddiwedd y dechrau, yn dibynnu o ble roeddech chi'n edrych, am un ar ddeg yr hwyr ar 31 Ionawr 2020, gyda chynrychiolwyr y rhai a enillodd i bawb arall wobr nad oeddent ei hangen na'i heisiau yn crawnu yn Sgwâr San Steffan i joio.

And in the end came the end, or the beginning of the end, or the end of the beginning, depending on your standpoint, at 2300 on 31 January 2020, with the representatives of those who had won for everyone else a prize which they neither needed nor desired coagulating to party in Parliament Square.

Bing Bong Be?

Y gloch sydd uwch 'rholl glychau - a hawliwyd
yn gnul i'n holl hawliau:
siant i lwyddiant celwyddau
dy gân, ac i ryddid gau.

Brexit Eve

Ding dong, horribly we sigh,
while Brexit bells are rungen,
ding dong, liberties will die
as hateful songs are sungen:
Booooooooria, ad nauseam in extremis.

BJ

Na chred adduned gan ddiawl.

Cŵn

Ar droad y prynhawn
maen nhw'n dechrau.
Darllen pob ystum,
dyfalu pob awgrym,
cofnodi bob cip difeddwl
at gornel y gwyrthiau
lle croga'r tenynnau.
Yn llawn gredu beth ddaw
ac yn ei snwyro'n agosach.
Mae 'na fymryn o gysur
i minnau yn y pethau bach
wrth i mi chwilota am obaith
a'r byd yn tywyllu.

Dogs

At the turn of the afternoon
they start.
Divining every move,
conjuring each hint,
clocking every unguarded glance
towards that wondrous corner
where hang the leads.
Believing what must come
and niggling it closer.
I find comfort
in the urgency of little things
while I hanker for hope
as the world gets dark.

Prevent

Look out for all them Muslims
whose thoughts may sometimes stray
beyond our British values
and threaten our UK.

And what about those climate
protestors on the street?
They're all a bloody nuisance -
just grass 'em, every tweet.

Now, when those Welshophiliacs
in Cymdeithas y stuffing Iaith
start up, be Dicsi'r Clustie,
report them - gwna dy waith!

And when you've done your duty
as state informant true
reporting all the others,
just wait. We'll come for you.

Boris a'i Bals

O giwed felltigedig – eu gwerthoedd
        sydd ond gwarth trybeilig,
    heb ddoniau ond doniau dig
    na nod ond byd rhanedig.

Ond

Yn y tywyllwch 'ma
Mae na rhwbath yn cuddio.
Peth swil ydy o weithiau
er na ddylai fod.

Gobaith ydy ei enw fo
A does dim lladd arno.

But
In this darkness
Something hides,
Sometimes a shy thing
Though it shouldnt be.
It's name is Hope
And there is no killing it.

Siôn Aled

I BALA 21

57

Corona

Mae haint ar gerdded.
Mae microbau'r clwy yn llethu gwledydd
ac yn llygru'n byw
a gwreiddiau ein gwareiddiad.
Treiddia drwy wythiennau ein parhad.
Ei enw yw casineb.
Fe'i lledaenir yn slei bach, i ddechrau,
gan gelwyddau'n 'stumio'r gwir.
Mae'n gafael yn y werin,
yn y crach,
a phawb nad arfer gof sy'n ddigon hir
i rithio Ewrop echdoe fu dan frech y groes droëdig.
Daeth gwellhad
i'w deffro o'i deliriwm,
grym sy'n drech na sepsis surni a chynddaredd brad.
Ni hidia'r haint am ffin na gwlad nac iaith.
Calliwn.
Ni hidia cariad fymryn 'chwaith.

Corona

A plague is stalking.
Its microbes are paralysing nations,
poisoning our being
and the roots of all good growth.
It haunts the arteries of governance.
Its name is hatred.
It spreads sly and slow, to start with,
in lies that lie with truth.
It infects
the proles and privileged alike.
Everyone whose memory cannot stretch
to a Europe cringing in the shadow of a crooked cross.
Comes healing,
a deliverance from our delirium,
a force beyond the sepsis of deceit and the tetanus of
treason.
The plague knows no border, no land, no language.
Be bold.
Neither does love.

Cardota

Mi ofynnodd.
Mi fûm hael
yn ôl disgwyliad cardotyn,
meddyliwn.
'Can't you give more?'
meddai.
Ac mi roddais fwy.
Cos dw inna bob amsar isio mwy.
Tydw.

Begging

He asked.
I gave
generously
by a beggar's measure,
I thought.
'Can't you give more?'
he said.
And I gave more.
Cos I always want more.
Don't I.

Mynyw

Crwydrais dy fynwent heno
heb ddim ofn
ysbryd y claddedigion
na'r ci du sy'n gwahodd tua'r pridd.
Teimlwn yn gynnes
fel petai'r sêr
yn wirion ddisglair
yn pelydru pob un mymryn bach o'u tân
drwy ddyfnderoedd amser.
Heno, mae rhywbeth gwaeth ar gerdded,
drychiolaeth haerllug sydd yn gwawdio'r gwir.
Mae hiraeth amdanat, Ddewi, yma.
Tyrd i'n trwblo
yn sibrwd y pethau bychain
sy'n dallu'r grymus
ag arswyd y sêr.

Menevia

I wandered your graveyard tonight
without fearing
ghosts from your graves
nor the black dog
that lures to death.
I felt warm
as if the stars
deliriously bright
were radiating that merest bit of heat
through the depths of time.
But something worse walks tonight,
a hideous apparition that devours truth.
I looked for you, Dewi.
Come, haunt us,
whispering of small things
that disturb the mighty
with a shivering of stars.

Hwnna a'r firws

Â gwên fe garthi'r gweiniaid - i'w hangau,
    di-angen i'th giwaid.
   Ond hawlir haeddiant diawliaid
   gynno chdi, a'th blydi blaid.

Ystrydeb

Os byw ac iach, fe ddwedwn,
os byw ac iach, fe gredwn.
os byw ac iach yw'n gweddi'n wir
a gwir dros bawb a garwn.

BREXIT.

ENGERLUND

Cerdda'
Ffwrdd,
dy ben yn
dy blâ.

a phwyse' ar d'ysgwrydd

Rejoice! We are now
on the wrong side of
History. 31/01/2020.

IBRLA20

61

When it became clear, early on in the pandemic, that the UK was facing a shortage of ventilators, the Extreme Unction of COVID-19 treatment, Boris Johnson, with his trademark joviality which had recently helped him win an election, referred to the urgent plan to increase availability as...

Operation Last Gasp

When you,
that day,
that day which someday, somewhere,
somehow has to come,
grasping for air
as all becomes a vacuum
for your tortured lungs,
I wish, as by faith I must not curse,
that you don't,
in your last delirious thought,
discern a careless chuckle
frosting your dawnless night.

Ac yna, teimlo'n euog pan glafychodd y Boris ei hun.

Claf

Na ddechra lid o'th ddychryn - rhag y pla,
    na enynna wenwyn
  am fedd na gwaeledd gelyn
  chwaith na distryw unrhyw un.

The Plague began claiming celebrity victims.

Tim Brooke-Taylor

You made fun your profession
and it looked easy.
Big gifts often do.
And as we remember
well-intentioned disasters
at our teenage tea-times,
and clueless innocence
on car radios, later,
you gifted us again
at this tearing time
a smile in the grip of grief.

Gwanwyn Garw

Y cae lle bu'r chwarae'n chwyn - ond hefyd
yn llawn twf ailgychwyn;
dwg rhyfeddod pob blodyn
dafol natur nôl yn hyn.

Bywyd

(Ar ôl darllen Housman ar y geiriosen)

Hyn a hyn o wefr bywhau. Hyn a hyn
o weld hud y clychau.
Hyn a hyn o fentro hau.
Hyn a hyn o wanwynau.

Cloriannu ystadegau

Mae'n hen beth cas, diflastod - i lawer;
i lu, mae'n segurdod.
Pan fo gwaetha'n data'n dod,
i dorf mae'n gnul eu darfod.

Statistics

I loved playing with bar charts
scatter plots
confidence intervals
Sig figures.
But this is drawing narratives of death.
This is us
now.

Chwarae â byd

Joio, er crïo'r cread.
Y pris? Peryglu'n parhad.

Gwyliau Amgen

Arferwn gyfri'r misoedd,
  wythnosau, dyddiau'n wir,
nes deuai bach o wyliau,
  ag oriau'r gwaith mor hir.

Ond yna daeth y dwymyn
  ar drothwy'r Pasg i'r wlad
a datgymalu popeth,
  heb derfyn i'w pharhad.

I ddechrau, er yr arswyd,
  heb gysur peint na chaff,
doedd dim rhy ffôl mewn ffyrlo,
  a Boris, weithiau, 'n laff.

Ond wedi cyfri'r dyddiau,
  wythnosau'n fisoedd maith,
rwy'n ysu am y swyddfa:
  y gwyliau fydd y gwaith.

Holidays

I used to do a countdown,
  the weeks, indeed each day,
until my time of freedom,
  when work would go away.

But then there came the fever
  all normal to transcend
and curse us into lockdown
  that none could see its end.

To start with, I quite fancied
  the leisure to unwind,
while Boris made of bungling
  an art form, of a kind.

But as the days protracted,
  to months, I'm less impressed,
I'm longing to get going:
  and work will be my rest.

A dianc wnaeth rhai, yn groes i reolau'r cyfnod clo, am eu hail gartrefi.

Tŷ Haf

Mae'n hafan, mae'n anafu - od o rad
    ond tra drud i'r Cymry;
    mae'n ddel, mae'n diogelu
    annoeth llwfr; a bygwth llu.

Yr adeg hon, daeth y rhif R yn hollbwysig, sef mesur o faint o bobl y byddai unigolyn a oedd wedi ei heintio â'r coronafeirws yn debygol o'u heintio ei hun – golygai unrhyw ffigwr uwchlaw 1.0 y byddai nifer yr achosion yn cynyddu, ac ym mis Mawrth 2020 roedd yr R yn 3.0 neu'n uwch mewn rhai rhannau o Brydain.

R

R yn dweud wrth hen ffrind, dos - er mwyn R
    ni ddaw neb yn agos;
    R dan un, dan un neu'n nos:
    mae R yn hirymaros.

As the R figure, the measure of how many other people an infected person was likely to infect, fell somewhat, restrictions in England were relaxed, from 'Stay at Home' to 'Stay Alert', prematurely as some experts warned and the consequences were to confirm.

Stay alert

'Stay alert' while exercising,
'Stay alert' while socialising,
'Stay alert' while ventilated,
'Stay alert'. Till you're sedated.

At such a time, the border between Wales and England became, in the light of the often widely differing restrictions on either side, something more than a line on a map.

Y Border Bach

Y ffin heb ddim diffiniad - drwy oesoedd
    dan drais goresgyniad;
   ffin driw, sydd heddiw'n parhad,
   a ffin ein hamddiffyniad.

The Line

For centuries
since the penal peace
you behaved yourself,
dividing
not nations,
but shires,
and then the guardian
of dry Sundays
and woolly linguistic rights.
But suddenly you were stirred
by a stateless plague,
like a dragon asleep on watch
jerking awake
in the nick of time.

Cummings

Rheolwr afreolus - cynghorwr
    llawn cynghorion gwallus,
   dyn fficsit y Bregsit brys
   â gwerthoedd gwaeth na gwarthus.

DC a BJ

Dau enbyd sy'n gwneud unben - dau reibus
    ddwed rywbeth er diben;
   dau sy'n gwau eu c'lwyddau clên:
   dau o'ma, dau i'r domen.

Iwan Llwyd. 15 Tachwedd 1957 - 28 Mai 2010

I'w awen roedd rhyw wewyr - i'w enaid
    ryw ynni didostur,
  a rhyw wên, y wên a yr
  hudoliaeth drwy ein dolur.

Yfory?

Rôl byd tlawd, byd difrawder - a dyddiau
    gwleidyddion ysgeler,
  byd wyneba eitha'r her
  o fendio'n anghyfiawnder.

Beibl Donald Trump

Gwaeth na'i holl au bregethau - yw annog,
    ei hun, lofruddiaethau;
  unwn ein gweddi ninnau:
  rhoi'i geg, fel ei Feibl, ar gau.

Donald Trump's Bible

You preach from a closed Book
your litany of violence and despair
swearing your lies
on a dead Scripture.
May your parable,
chapter and verse,
soon find its closure.

Dal gafael

Rhyfedd gweld pelmynt trefol - yn gwyrddio
    fel gerddi dihangol:
  a ni'n ein cell wanwynol,
  ar fyr daw natur yn ôl.

Y tŷ yng Nghymru.   I BALA 20'

Dad

Cofio 'Nhad a fi yma
ym 1972.
Hen sdesion Wrexham Central
cyn iddi symud i le gwell draw fancw.
Bu ffrind iddo'n signalman yma rywbryd
medda fo.
Yma ar Docyn Crwydro oeddan ni
a finna'n bymthag oed
heb fawr o ffrindia wir
blaw Dad.
Doedd o fawr o deithiwr.
Ond rôn inna'n licio trêns.
Ac yna, ces i fwy o ffrindia
a doedd Dad ddim mor bwysig.
Ond weithiau
mae'r un ffrind na'n
dal i dynnu dagrau.
Fel heno
yma
lle bu disgwyl y trên adra.

Dad

*I remember my Dad and me here
in 1972.
The old Wrexham Central
before it moved to somewhere better
over there.
A friend of his used to be a signalman here
he said.
We wandered here on a Rover Ticket
when I was fifteen
and without a lot of friends, really,
except Dad.
He wasn't much of a traveller.
But I liked trains.
And then, I found more friends
and Dad wasn't so important.*

But sometimes
that one friend
still draws the tears.
Like tonight
where we once
awaited the train home.

Yn iach...

Mae ofn ar gofgolofnau – dyniadon
   di-nod, 'blaw fel taclau:
   sgwriwn eu cof o'n sgwariau
   i fedd yr amgueddfâu.

Gov.uk

Just a junta of jesters: - Brexit's fine
   with malign one-liners,
   and the lid's on Covid's curse.
   Assistants to disasters.

Portread

Roedd Blair yn ei ddydd yn gelwyddgi,
a Thatcher a Cameron, bob un,
ond yn waeth na dim ond dweud clwydda,
mae hwn yn gelwydd o ddyn.

Portrait

While Blair was called the Bliar,
and others truth disguise,
this falsehood super-spreader
just lies. And lies. And lies.

Y peth bod 'ma

Mae gen i gath sy'n sâl,
sâl hyd angau
meddan nhw.
Ac mae pethau od
yn digwydd
yn barod
yn y disgwyl dwys.
Er ei bod yn cysgu'n dawel, rhy dawel,
mae'n chwarae ar ffiniau fy ngolwg
ac yn trwblo 'nghlyw.
A dyfnder düwch llygaid cath
yn gwahodd 'nhynged innau.
Niwsans 'di gorfod marw.

This being thing

I have a sick cat,
sick to death they say.
And odd things are happening
already
as we await the worst.
Though she sleeps quietly, too quietly,
she paws the corners of my eyes
and haunts my hearing.
And the depth of a cat's eyes
invites my own denought.
As if death had not sport enough.

Ryw noson

Dim ond hen gath yn mynnu
   troi helbul 'myd ymhell
â chryndod ei breuddwydion
   am bethau gynt, a gwell.

One night

When day dissolves to evening
   I'm glad the old cat's there
to share her trembled dreaming
   of better things that were.

Cefndeuddwr

Hiraethais amdanynt cyn eu 'nabod 'rioed,
   y bryniau a loywai'n rhos ar ddiwedd dydd,
a swnian ers pan ôn i'n ddim o oed
   am siawns i'w crwydro yn herfeiddiol rydd.
Ond roedd rhyw ias, o bell, o weld mor chwim
   y cuddiai'r niwl yr esgair dan ei hud,
ac ofnwn, wrth im ddringo, gau pob dim
   yn nheyrnas lwyd y cwmwl draw o'm byd.
Yno rwy'n loetran, uwch fy nghanol oed,
   a'r dŵr o'r gors yn llifo ar ddwy law,
y nant yn dawnsio gobaith tua'r coed
   islaw'r carneddi'n gwasgar grym y glaw;
a chlywaf, ar yr ochor draw i'r garth,
y rhaeadr yn dwndro dan ei tharth.

Mygu

Mae adegau,
yn nyfnder nos,
ond nid bob tro, chwaith,
dwi'n colli gafael ar waith neu hwyl neu gwsg neu beth bynnag,
heb wybod pam.
Ac yn edrych lle rydym
(mae dihangfa gan yr Alban – gwyn eu byd)
â'r giwed giaidd hon
dan gadfridog twyll
yn hael ei glod i'w Hunan.
Tra gall guddio
fel ellyll rhag y drych.
A dwi'n flin
tu hwnt i eiriau,
ac am falu pob dim yn rhacs,
a phetha bardd ddim digon chwaith,
sy'n eitha' drwg,
bod hyn i fod
uwchlaw ein henwau
ac y'n tewir oll,
am y tro,

gan ei hen faner sgraglyd
fel mwgwd
lle ceula pla'n cywilydd.

Suffocation

There are times,
usually in the dead of night,
but not always,
I disjoint from my work, or play, or sleep, whatever,
not knowing why.
And look at where we are
(the Scots have their escape – I wish them well)
with this fetid lot in awe
of Brexit-above-all
commanded in chief
by the One who believes in nothing but Himself.
Well not even that really, if he dared to truth the game.
And I am angry
beyond words,
and I want to just smash things up,
and poetry even is locked down,
which means it's pretty bad,
that this is being done
anonymously in my name
and that I'm made,
thus far,
to wear its paltry flag
as a mask
which shelters the virus of shame.

A beth bynnag am y coronafeirws a Brexit, roedd cŵn, fel cathod,
yn dal i farw.

Cêt

Yr un am bethau crynion – ac adar,
    darnau o goed, a dynion,
  a threnau siwrneiau Siôn;
    â'i golwg doddai'r galon.

Cafwyd rhyw fath o seibiant rhag gwaetha'r pandemig yn ystod haf 2020, nes i lawer anghofio bod haint ar droed.

Victims of inhalation anthrax often experience an easing of their initial symptoms, which has been called the 'anthrax honeymoon', before symptoms return, with often deadly severity. It was a bit like that in the Plague Summer of 2020, when it all seemed to be receding.

Y Troad

'Gwatsia dy hun' meddai Dad, bob tro,
wrth im anturio,
yn hogyn mawr, fel y tybiwn,
hyd eitha'r trai,
yn Llan-faes, fel arfer,
lle cwrddai Menai a'r môr,
a lle trigai, dan un graig yn arbennig,
y crancod gorau bwytadwy,
er na fwytais yr un,
'mond teimlo'n fwy fyth o hogyn mawr
yn mentro'u dal a'u rhyddhau.
Ac yna troi
o hwyl fy smalio hela
mewn dychryn bod y dŵr fu mor ddof
wedi cripio o'm hôl
a'm craig yn ynys.
Ddaeth o 'rioed yn uwch na 'mhengliniau
ond dysgais gofio
mai'n ddistaw bach
y daw y dŵr i'n dal
os na watsiwn.

The Turn

'Watch yourself' Dad would always say,
as I ventured,
more than a boy, in my own mind,
to the far ebb,
in Llan-faes, usually,
where the Straits met the sea,

76

and where were found, especially under one special rock,
the best edible crabs,
although I tasted none,
just felt brave grabbing them
before they grabbed me.
And then I'd turn
from my hunt without a haul
to be taunted by the stealthy flow
that had caught my back.
It never rose above my knees,
but I learned to remember
how the tide turns slow and sly
while we're not watching.

John Hume

Llais uwch 'rholl drais a dryswch – drywanodd
    drwy annwn y t'wyllwch:
    llais ddeffrodd obaith o'r llwch:
    llais i heddiw, llais heddwch.

Profiad 'Steddfod 2020

Bydd yffach o le yn Nhregaron
'mhen blwyddyn, wel dyna'n gobeithion,
    ond am 'leni, na 'ni,
gwnaf Faes o'r setî
ag AmGen, gŵyl godith y galon!

Mellt

Dach chi'n fy ngorfodi i gofio
eich tapiadau o 'nghwmpas ar ben mynydd
fel taech chi ond yn chwarae,
yn rhy agos i daranu.
Am eich sioe o gwmpas 'mhabell
yn fy 'Steddfod gynta' 'ffwrdd
pan oedd marw'n hen chwedl bell.
Ac am ast

yr oedd eich sibrwd cyntaf
iddi'n arswyd
ac na all ofni bellach.
Diolch am fy nychryn
tra gallwch.

Lightning

You make me remember
your tapping around me on a mountain top,
just playing
too close for thunder.
Your show around my teenage tent
like the rant of a distant death.
And that old dog
who cowered at your first murmur
and who knows no fear now.
I thank you
while I can still draw your shock.

Wrth i gymaint o fywyd droi ben i waered, bu llywodraethau'n straffaglu i ganfod ffordd o wneud tegwch â myfyrwyr ysgol na fu'n bosibl iddynt sefyll eu harholiadau haf. Ni wn a lwyddasant.

Dyfarniad

Pe bai hon yn egsam i wleidyddion
    mewn grym, fy marn fach fy hun
fai nodi, yn null yr hen raddau,
    Eff mawr wrth enw pob un.

Gweld cath yn marw

Erioed yr hen ystrydeb – a brofodd,
    drwy brofiad, yn wireb:
i bobun, eilun neu neb,
daw'r ildio i'n meidroldeb.

BABAN.

Cath . Cat . Gato . Chat . Kass . I BALA 20'

Dynesu'r nos

Stalwm
yr adeg yma
pan mae'r tywyllwch
yn dal yn slei bach ar y dydd
mi deimlwn
ryw gysur
rwbath cynnas bron
bod cynhaea' a gaea'n dod.
Concars
tân gwyllt
Dolig
a miri'r eira.
Ond 'leni
mae'n nosi'n hyllach
ag ysbrydion newydd yng nghil fy llygaid
ac ogla ofn.

Nearing of night

Time was
that this now
when the darkness
garners bit by bit the day
that I felt
some comfort
almost a warmth
as the year began to dim.
Conkers
Guy Fawkes
Christmas
and the silent surprise of snowy mornings.
But this time
there's an edge to the night
new ghosts at the fringes of my seeing
and the whiff of fear.

Cochi

Mor wir mai hir pob aros,
hynod hir am domatôs.

Waiting

Roses are red,
violets are blue,
ivy is green,
my tomatoes are too.
Still.

Ysbrydion

Mewn tŷ gwag
pan gollwyd rhywun,
neu rywbeth,
mae 'na ofn,
a hawdd yw i bob smic dwyllo
bod dod yn ôl.
Nes clywed yn y tawelwch
arswyd difancoll.

Ghosts

In a house emptied of life
every crack and creak
shivers you
with the fear of return.
Till the silence
tells the horror
that they won't.

John Walter Jones

I'r heniaith rhoes arweiniad – at 'fory,
at ferw adfywiad,
at le uwchlaw dilead
ei hunig le – ar lawr gwlad.

Criafolen Gŵyl Fihangel

Mi oedaf ddiwedd Medi – a rhyw haf
    digon rhyfedd 'leni,
    a dal, yn dy ffrwythau di,
    ystwyrian rhyw hen stori.

Casglu

Daeth heddiw Galan Hydref
a'n rhywsut haf ymhell,
a minnau'n sgwrio'r 'sgawen
at win y gwanwyn gwell.

Harvest

*I chase the light and gather
the elder's fruit, to bring
the wine to sleep the winter
and dare to dream of spring.*

OBE aballu

Er y freiniol ganmoliaeth – a leisiwyd,
    mae ar dlws dyrchafiaeth
    greithiau cenedlaethau caeth,
    mae rhwd 'rhen Ymerodraeth.

Un o nodweddion Cyfnod y Pla fu'r 'diweddariadau' o Lundain a chan y llywodraethau datganoledig, pan oedd y gwahaniaeth agwedd, effeithiolrwydd a desantrwydd yn amlwg, a dirdynnol, i'w weld.

Throughout the Pandemic, 'updates' would be given, sometimes daily, by Downing Street and the devolved administrations. The differences in attitude, competence and common decency were excruciatingly on display.

Drakeford v Johnson

Mor wâr, a mwy'r embaras, - yw'r taeog
   yn rhoi taw ar d'urddas,
  a'r gwir o wefusau'r gwas
  yn darnio rhith dy deyrnas.

In times of strained deference
it takes the underling of the vassal state
to revive his teacher's skill, with cold calmness,
to tell off
a gormless first-former.

Crwydro

Rhyfedd
pan fo'r corff yn gaeth
fel y myn y cof ei ryddid
a chrwydro blith draphlith drwy'r gorffennol
fel rhyw dardis chwil.
At straeon Mrs Jenkins
bnawniau Gwenar Cae Top.
Cysur yr ewcalyptws
dan annwyd.
Ogla llyfra yn Leibri Bangor.
Fflam las tân glo
ar drothwy'r eira.
Sibrwd anwylyd gynt
wrth i sgwrs sleifio'n gusan.
Cyffro'r ffilm wythnosol
mewn carchar gwell.
Petha braf.
Fel arfar.
Yna nôl
at heddiw hir
yn bragu atgofion
at ryw fath o 'fory.

Wanderings

It's strange
when the body's in custody
how the memory breaks free
to meander routelessly through the past
like some tipsy tardis.
To Mrs Jenkins' story
at the end of a Cae Top Friday.
Oil of eucalyptus
comforting a cold.
The smell of books in Leibri Bangor.
Blue flames in the coal fire
heralding snow.
The whispers of a lost lover
as conversation slinked into a kiss.
The excitement of the weekly movie
in a better prison.
Nice things.
Normally.
And then back
to another long today
vinting memories
for some sort of tomorrow.

Ysbrydolwyd y gerdd nesaf gan ymweliad â Gwaunyterfyn, cymuned sy'n rhan o Wrecsam erbyn hyn. Fe'i cyfansoddwyd ar ddiwrnod cyntaf cyfnod atal byr (neu 'gyfnod clo clec') Cymru fis Hydref 2020 – felly roedd y terfyn, ryw chwe chilomedr i ffwrdd, bellach ar gau i bob teithio nad oedd yn angenrheidiol...

Y glaw yng Ngwaunyterfyn
(Ger cartref mebyd yr Arglwydd Brif Ustus George Jeffreys)

Bosib bod ambell goeden yn dal yma
sy'n dy gofio'n fachgen
â hwn yn faes dy chwarae
cyn i glod dy galedu
a'th ddadfeilio.
Fel gweinyddwr gormes

85

y'th gofiaf innau,
ac ni fu hanes ychwaith
yn hardd ei dedfryd arnat.
Ond heddiw mae'r coed
yn beichio dagrau benthyg
am y mebyd hwnnw
a dagwyd ar grocbren grym.

This poem was inspired by a visit to Acton, more properly known as Gwaunyterfyn (the heath of the boundary), a community which by now is part of Wrexham. It was composed on the first day of Wales' 'firebreak' lockdown in October 2020 – so the border itself, some six kilometres distant, was by then closed to all but essential travel...

In the rain in Acton Park
(Near the childhood home of Lord Chief Justice George Jeffreys)

*Maybe there's one or two trees
still, who might just remember
a boy who played here
before power transformed
and deformed you.
I know you as dispensing death,
and history too
has been harsh her sentence.
But today
the trees weep borrowed tears
for that boyhood
strangled on the gallows
of a hurried infamy.*

Sean Connery

Bu'n glasur ffug-anturiaeth - a'r gorau
   o gewri rhamantiaeth;
   ar ei ôl, un antur aeth
   yn bennaf. Annibyniaeth.

Dwi isio

gweld pobol
prynu goleuada Dolig
mynd ar drên
heb fod rhaid
ysgwyd llaw
cyffwrdd cŵn pobol erill
canu mewn côr
er na wnes 'rioed o'r blaen
ista mewn tafarn
dysgu Cymraeg yn Llundan
magu annwyd
jest annwyd
gwbod
bod pawb yn gwbod
pan dwi'n gwenu
ers talwm yn ôl
o llynadd
peidio mwydro am graffiau.
A ma rhai pobol
jest isio anadlu.

I want to

see people
buy Xmas lights
go on a train
unnecessarily
shake hands
touch other people's dogs
sing in a choir
though I never did before
sit in a pub
teach Welsh in London
have a cold coming on
just a cold
know that everyone knows
when I'm smiling
get the old life back
from last year
stop obsessing about graphs.
And some people
just want to breathe.

Trechu Trump

Ni laddwyd ei gelwydda - na'i anian
     i wenwyno'r dyrfa,
   na dyddiau'r cas-wleidydda.
   Dim ond dechrau. Dechrau da.

Tybed?

Profasom bedair blynedd,
dan Trump a Bregsit, hir -
cyn troi y rhod, a dechrau
gweld mymryn cip o'r gwir.

Maybe...

Four years of Trump's delinquence
and Brexit's stinking breath,
and then the world starts turning
towards the light, from death.

Gair o gyngor

Gan bwyll, yr hen ben twyllwr, - er i rai
     rwyt yn rhemp o arwr,
   gwranda - cyhoedda pob cwr
   o'r data: 'Callia, collwr'.

Jan Morris

Dy rawd, dy holl grwydriadau - a rennaist,
     mor onest, â ninnau;
   ar daith uwchlaw'r holl deithiau
   yr wyt, a'r wefr yn parhau.

Barbara Windsor

Hen hwyl a droes yn alar – distaw yw
     dy East End heb glochdar
   dwrdio ffraeth unbennaeth bar
   a giamocs dawn ddigymar.

I Banto ar-lein Pobol Blaenau Ffestiniog:

Y Dewin OZ(oom)

Dyna'i swyn, dal donia sydd - o'n cwmpas
a chreu campwaith celfydd
adra o dalenta'n dydd
yn Blaena. Criw ysblennydd.

John Jenkins

Â'n gwlad uwch bedd llygredd llaid - Tryweryn
try hiraeth y gweiniaid
yn nerth un, yr un oedd raid,
yr un â'i thân drwy'i enaid.

Roedd Prif Weinidog Prydain yn rhyw Siôn Corn blêr yn stwffio'i
Ddêl i lawr y simdde ar 24 Rhagfyr.

*The British Prime Minister was like some clumsy Father Christmas
stuffing his Deal down the chimney on 24 December.*

Congrats

Ew! Dêl ar Noswyl Dolig - a Llafur
yn llyfu'n fonheddig,
dêl a bryn i'r Diawl y brig.
Dêl hudol. A diawledig.

Done

*What did they earn, your stubborn stands? - A mess
that has meant your England's
hopeless. No sunlit uplands,
only shifting, sinking sands.*

Ildio

Naid llygod mawr arferol
o fordaith anobeithiol,
ond llygod Llafur naid o'u co'
i'n suddo hanesyddol.

If you can't beat 'em...

Said stormin' Sir Keir Starmer,
it simply will not do
to let them own their dismal deal
when we can own it too!

Dechreuadau

Er dros dro cei frolio'n fras - oferedd
    fydd dy fory eirias
    â darnau o'th hen deyrnas
    yn troi'r rhod, yn hawlio'u tras.

As Boris Johnson celebrated his real Day of Freedom at the end of the Brexit Transition Period, there was little sign of the long promised paradise of Global Britain.

Beginnings

Make the most of your brief rejoicing
for tomorrow will see
the subjects of your Union
finding their feet and walking
heads held high.

Ystwyll

Doethion?
Wn i ddim.
Onid ffyliaid
yn dilyn
dwy seren yn smalio cusanu,
yn ddigon thic
i holi Herod
am fangre geni'i Well?
Ella wir.
Ond dan ni
yn gwbod am y petha ma
ac yn dallt y dalltings.
Eto
mae siawns i'n sêr gwneud
agosach, hawsach ninnau,
ein twyllo i waeth tywyllwch.

Epiphany

Wise men?
Weren't they just fools
following a coincidence
on their dark manuscript,
dim enough
to go to a king
and announce treason
as treasure?
Maybe.
But we understand
the forces that drove them
and comprehend coincidence.
We know.
Yet maybe still
we'll let our dimmer stars
deliver us only death.

Cyn

y bygwth o bendraw byd
y cripio drwy gyfandiroedd
y brolio nad oedd yna broblem
y cau tafarnau
y cau popeth
y diweddaru dyddiol
yr ailddiffinio ffiniau
y gwaeledd
y galar
y mygydau'n ffindio'u ffasiwn
y Steddfod AmGen
yr haf petrusgar ansad
yr hydref aros adra
y Dolig o dawelwch
ac encilio'r Calan
cyn
lle ôn i, dywad?

Before

the threat from the ends of the earth
the creeping across continents
the boasting that there was no problem
the pubs closed
everything closed
the daily updates
the redrawing of borders
the sickness
the desolation
the masks finding their fashion
the Eisteddfod at a digital distance
that strange and uncertain summer
the housebound autumn
the abridged Christmas
and the darkling New Year
before
now where was I?

Ffarwél Trump

Dyn anweddus. Dienyddiwr. - Dyn ffug.
   Dyn ffals. Gwag grefyddwr.
   Dyn ddoe. Dyn echdoe. Hen ŵr
  i anwariaid yn arwr.

Croeso Biden

Ar ôl y maith ffarwelio – â'r Donald
   a'r dinistr oedd eiddo,
  daeth, nid sant, dyn desant, do
  â mwynder cadarn mendio.

Bechod

Yn yr hen ddyddia
roedd 'na Bla
o gwmpas
ond doedd o fawr o boen i mi
cos dôn i ddim Fel 'Na
a rôn i'n gwbod be oedd gofal
rhag ofn.
Rŵan
fi di'r Rhywun Arall.

It's a Sin

In the old days
there came a Plague
but it was Someone Else's Plague
not mine
cos I wasn't Like That
and played safe anyway just in case.
Till Something
came for me anyway.

Y Capten Syr Tom Moore 1920-2021

Er grym y rhyfel welodd - yn curo,
   camau cariad gerddodd,
  er mor wan, mae grym ei rodd
  yn trechu'r hyn a'i trechodd.

Li Wenliang, bu farw 7 Chwefror 2020

Y dewraf o'r doctoriaid - a rannodd
   gyfrinach ei feistriaid:
  yr un a adnabu raid
  achwyno. Parch i'w enaid.

Bu galw ar deithwyr o wledydd lle roedd y Pla ar gerdded i ynysu am ddeng niwrnod mewn gwesty ar ôl cyrraedd y Deyrnas Unedig – gorchymyn a wnaed yn rhy hwyr, fel arfer.

Gwesty

Fu 'rioed arna'i lai o frys?
A'r gwesty ddim mor gostus
â dioddef y dyddiau
un i un yn undon wau:
er y gwin, mor hir yw gwaith
ynysu am ddeng noswaith.
Gwelais fflachiadau gleision
droes i lawr ar draws y lôn
i aros, er andros y brys,
yn leins yr ambiwlansys.
Gorwedd mewn hanner gweddi:
am ryddid fy iechyd i.

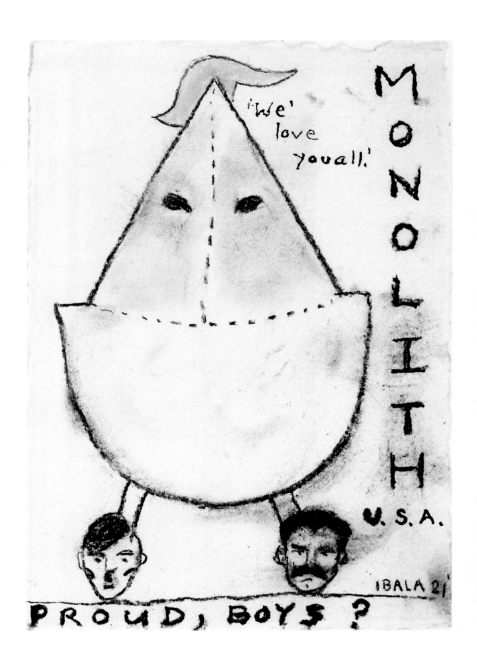

Translation

Dog.
That's ci for me.
But then again it isn't.
Dog leaves me cold,
remembering bad experiences.
But ci means things warm and licky
and walks between two bays
and that cosy feeling
returning to base
and supper bowls
sacrificially delaying my own.
Chien?
The bite of my sadistic, sarcastic French teacher.
But who liked me
like some dogs do.
Pero?
Compromised -
between the Pero I know
and the peros of Castilla.

Then there's work.
That's gwaith.
Work sounds hard
homework invading my escape from the servitude of school.
A thing that has to be done
disconnected to reward.
But gwaith constructs,
earns,
delivers.
Gwaith can be poetry.

And me.
That can be 'mi' – Em Aye.
Good old Indo-European roots.
But 'me' and 'mi' are different.
In one I proclaim myself to others,
but in 'mi' I am myself.
Translation.
Cyfieithu.
Well - ish.

Ac un bore Gwener ym mis Ebrill 2021, bu farw Dug Caeredin yn 99 mlwydd oed, gan ysgogi rhyw alar annisgwyl ac annelwig i rai ohonom.

Philip

Gredwn i ddim y gallwn alaru amdanat
ond dyma fi
yn methu peidio
rywsut.
Er efallai nad amdanat ti
ond am ddarn arall
o gynfas fy oes innau
a fu ac a ddarfu
er gwell
er gwaeth.

Philip

*I wouldn't have believed that I could grieve for you
yet here I am
unable not to
somehow.
Yet maybe not for you yourself
but for another bit
of my own life's canvas
that was and isn't
for better
for worse.*

As 2021 rolled on, the warnings of 'Project Fear' came to be revealed as Project Fact as widespread violence erupted on the streets of the North of Ireland. It was

Déjà vu

Gwarth oedd eich gwerthu heddwch - ar ocsiwn
    eich Brexit llawn blerwch:
    a dâl eich anwadalwch
    droi'r daith llawn gobaith i'r llwch?

Y Cwmplin

Deuthum i'th adnabod di
dro 'nôl
ddegawdau 'nôl wir
mewn coleg ym Mryste
a dal dy dawelwch
yn annisgwyl.
Heno
ti wnaeth fy nal
a'm dysgu eto
i dderbyn diwedd dydd.

Compline

I met you
many years ago
OK decades
at college in Bristol
where I caught your silence
under my breath.
Tonight
it was you who caught me
and taught me again
the wonder of day's ending.

Roedd teimlad o droad rhyw rod pan gyhoeddwyd canlyniadau Etholiad Cyffredinol Cymru fis Mai 2021, gyda diflaniad pob un a safodd dros ddiddymu datganoli. 'Wedi marw ar ei din' oedd dyfarniad y sylwebydd gwleidyddol Richard Wyn Jones ar dynged y safbwynt hwnnw.

There was a sense of a corner turned in the Welsh General Election of May 2021, when not one candidate standing on a platform of demolishing devolution, including the standard bearers of the Abolish the Welsh Assembly (sic) Party, managed to get elected.

Abolish Abolished

Gnafon am gynaeafu – ynfydion
  er difodi Cymru,
  llwyddiant i'ch difodiant fu:
  hwb adref. Ewch i bydru.

Darogan diweddaraf yr oracl yn Rhif Deg oedd y gellid codi pob
cyfyngiad o bwys, yn Lloegr beth bynnag, yn deillio o'r pandemig
ar 21 Mehefin 2021, ychydig ddyddiau cyn i'r 'anogaeth' i hedfan
Baner yr Undeb ar holl 'adeiladau llywodraeth y DU' ddod i rym.

Yn iach?

Ar hirddydd Haf yr ymryddhau – o loes
  un Pla a'i reolau,
  gorfod sy i Brydeindod brau
  godi'r un hen fygydau.

*As No 10 struggled, in the face of a growing threat from the Delta
('first discovered in India') variant of the virus, to keep to the long
vaunted promise of another Day of Freedom, for England at least,
this time from the remaining social distancing rules, on 21 June 2021,
so another rule, decreeing that the Union Flag be flown daily from
all 'UK government buildings', was due to come into force.*

Independence Day 2

*Freedom is a concept fraught
with quirks of meaning
and variants enough to turn a chameleon
back to green with envy.
So celebrate then,
whatever freedom this solstice brings,
daring the darkness
to claw back too soon your summer.
Jerk up your jacks
to dance their jingoistic jigs
lest any flagpole stand forlorn.
While freedom frays
in wind-worried banners,
we'll stick with rhyddid.*

DAW ETO HAUL AR FRYN.

Pob darlun yng nghyfrwng golosg, inc, pastel a dyfrliw ar bapur Khadi o'r India.

All drawings in the media of charcoal, ink, pastel and watercolour on Indian Khadi paper.

- 17 *'Boddi wrth y lan/Not waving but drowning'*. 30x21cm (2018).
- 22 *'Ianws Bregsit/Brexit Janus'*. 20x15cm (2020).
- 28 *'Suddo gyda'r llong/Sinking with the ship'*. 30x21cm (2019-20).
- 34 *'Cawliach Etonaidd/Dis-united Kingdom'*. 76x56cm. (2016-18).
- 41 *'Bygythiad/Threat'*. 30x21cm (2021).
- 47 *'Lodes Gymraeg/Welsh Lady'*. 30x21cm (2021).
- 52 *'Dyfodiad y Pandemic/Coming of the Pandemic'*. 30x21cm (2020). Casgliad preifat.
- 57 *'Ond/But'*. 30x21cm (2021).
- 61 *'Cerdda ffwrdd../Walk away..'* 30x21cm (2020).
- 65 *'Ynys y Pla/Sovereign Plague Island'*. 20x15cm (2020).
- 69 *'Y tŷ yng Nghymru/A house in Wales'*. 20x15cm (2020).
- 74 *'Blodau yn erbyn y nos/Flowers against the night'*. 30x21cm (2020).
- 79 *'Baban'*. 30x21cm (2020).
- 85 *'Ffarwel Trump'*. 30x21cm (2021).
- 92 *'Déjà vu'*. 30x21cm (2021).
- 96 *'Monolith USA'* 30x21cm (2021).
- 101 *'Daw eto haul ar fryn'* 30x21cm (2020).